かいた絵をはるだけ！
はじめての推しぬい

寺西 恵里子／作
Eriko Teranishi

汐文社

もくじ

はじめに **P.4**

かいてつくるマスコット・推しぬいのつくり方の基本ステップ **P.5**

かいてつくるマスコット **P.6**

かいてつくるマスコット バリエーション **P.12**

実物大の型紙 **P.14**

かいてつくる **お絵かき推しぬい** P.16

かいてつくる お絵かき推しぬい
バリエーション P.22

実物大の型紙 P.32

かいてつくる **きせかえ推しぬい** P.24

かいてつくる きせかえ推しぬい
バリエーション P.30

実物大の型紙 P.36

いろんな場所へ連れて行ってあげましょう！ P.21

好きなスポットで写真を撮ってみましょう！ P.21

はじめに

好きなことがあるだけで、幸せですね。
そんな推しの人形、推しぬいや
マスコットをつくってみませんか？
はじめてでも大丈夫！
針も糸も使わずにできます！

ペンでかいてもにじまない布、
「ゼッケン布」に
好きな人形をかいてつくります。

ぬうところは、ボンドではって、
綿を入れてつくります。

マスコット動物から
推しぬいまで
おどろくほどかんたんにつくれます。

つくったら、飾ったり
バッグにさげたりしましょう！
持ち歩いてもいいですね。

人形ひとつで気持ちもほっこり！
つくる時間を楽しんで！
できたものは、大切に！

小さな人形に
大きな願いをこめて……

寺西 恵里子

かいてつくるマスコット・推しぬいのつくり方の基本ステップ

ステップ ① 材料と用具を用意します。

ステップ ② ゼッケン布にかきます。

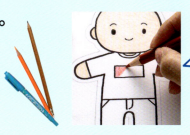

「白い布なので、手を洗ってから！」

ステップ ③ かいたものを切ります。

「きれいに切れていると、仕上がりもきれいです！」

ステップ ④ まわりをボンドではります。

「ボンドの幅が太くならないように気をつけましょう！」

ステップ ⑤ 綿を入れて、ボンドではり、できあがり！

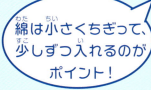

「綿は小さくちぎって、少しずつ入れるのがポイント！」

かいてつくる マスコット

布に絵をかいてつくるマスコット！
ゼッケン布を使うとかんたん！
自分だけのぬいぐるみをつくりましょう！

コロコロくまさん
くまさんのお腹や背中に
好きな絵をかいてみましょう！

さあ、つくりましょう！

♥ 材料と用具をそろえましょう。

材料

ゼッケン布
リボン（幅0.4㎝）：3㎝
手芸用綿：適量
ボールチェーン：1個

用具

● 切るもの
はさみ

● はるもの
手芸用ボンド
セロハンテープ

木工用ボンドでもOK！

● かくもの
鉛筆　色鉛筆
油性ペン

● 使うときれいにできるもの
竹串　割り箸

♥ 型紙を用意しましょう。

コピー

コピーをして、使いやすい大きさに切ります。

写す

型紙の上に紙を置き、鉛筆でなぞります。使いやすい大きさに切ります。

実物大の型紙

［コロコロくまさん］
ゼッケン布
前後ろ 各1枚

1 型紙を使って絵をかきます。

型紙の上にゼッケン布を置き、セロハンテープではります。

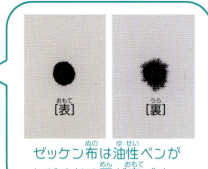

ゼッケン布は油性ペンがにじまない面が表です。

鉛筆でくまのまわりを写します。

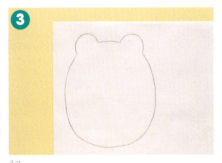

写しました。

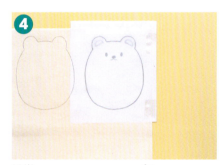

型紙をずらし、もう1つ写します。

油性ペンや色鉛筆でくまの顔をかきます。

顔がかけました。

お腹や背中に絵をかきます。
※外側0.5cmくらいは、かかないようにします。

好きなようにかこう！

2 布を切ります。

はさみでパーツを大まかに切り分けます。

鉛筆の線の内側を切ります。

後ろも前も切れました。

3 後ろにリボンをつけます。

❶ 3cmのリボンを2つに折り、折り目をつけます。

❷ 後ろの裏の頭の中心に、ボンドではります。

❸ 2つ折りにし、ボールチェーンが通る部分を残し、1cmはり合わせます。

4 前後をはり合わせます。

❶ あき口（綿を入れるところ）を残し、後ろの外側0.5cmくらいにボンドをつけます。

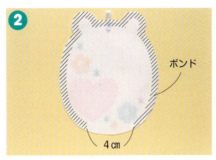

❷ 斜線部分にボンドがつきました。

❸ 前をのせて、はり合わせます。

❹ ボンドがかわくまで待ちます。

ボンドがかわくまで、触らないでね！

アイロンをかけるとすぐにくっつく！

必ず大人の人とやってね！

中温のアイロンを押すようにかけます。

ぴったりとくっつきます。

5 綿を入れます。

① 綿を小さくちぎります。

② 割り箸を使い、少しずつ綿を奥に入れます。

③ 厚みが1〜1.5cmくらいになるように、綿をつめます。

6 あき口をとじます。

① 竹串であき口にボンドをぬります。

② はり合わせ、ボンドがかわくまで待ちます。

7 ボールチェーンをつけます。

① リボンの輪にボールチェーンを通します。

いろいろな コロコロくまさん！

好きな絵をかいてつくりましょう！
プレゼントしてもいいですね。

後ろも かわいく！

かいてつくる マスコット
バリエーション

うさぎ

ぼくの！私(わたし)の！好(す)きな生(い)きもので、
マスコットをつくってみよう！

イルカ

ボールチェーンをつければ、
いつものバッグにつけて、
持(も)ち歩(ある)けます！

恐竜

好きな生きものと好きな柄を
組み合わせても
いいですね！

ねこ

柄ちがいで、つくってもいいですね！
遊んだり、プレゼントしたりしましょう！

実物大の型紙 P.14-15

かいてつくる
お絵かき推しぬい

ゼッケン布で洋服をかいて、推しぬいをつくりましょう！
髪型もフェルトを切るだけで、かんたんにつくれます！

お絵かきぬい
「推し」をイメージした髪や洋服にしてみよう！

洋服の参考 **P.34-35**

さあ、つくりましょう！

● 材料と用具をそろえましょう。

材料

ゼッケン布
フェルト 赤：適量
手芸用綿：適量

用具

● 切るもの
はさみ

● はるもの
手芸用ボンド
セロハンテープ

● かくもの
鉛筆　色鉛筆
油性ペン

● 使うときれいにできるもの
竹串　割り箸

実物大の型紙

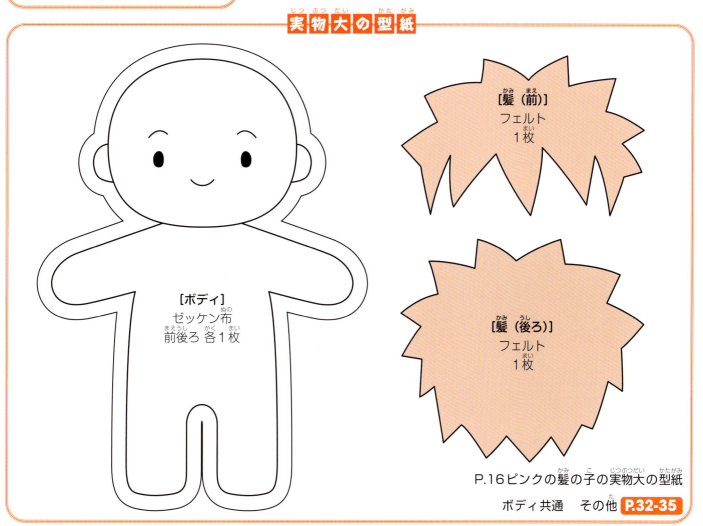

[ボディ]
ゼッケン布
前後ろ 各1枚

[髪（前）]
フェルト
1枚

[髪（後ろ）]
フェルト
1枚

P.16 ピンクの髪の子の実物大の型紙
ボディ共通　その他 **P.32-35**

17

1 型紙を使って絵をかきます。

① 型紙をつくります。（P.7参照）

② 型紙の上にゼッケン布を置き、セロハンテープではります。

③ 鉛筆で外側のラインを写します。

④ 油性ペンで内側のラインも写します。

⑤ 油性ペンや色鉛筆で顔や洋服（P.34・35にあります）をかきます。

⑥ 前がかけました。

⑦ 後ろもかけました。

「推し」の衣装をかいてみよう！

2 布を切ります。

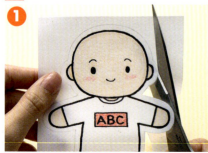
① 鉛筆の線の内側を切ります。

はさみをうごかさないで、布を回しながら切ると切りやすいよ！

② 前も後ろも切れました。

3 前後をはり合わせます。

❶ あき口（綿を入れるところ）を残し、後ろの裏の縁のところにボンドをつけます。（斜線部分）

❷ 竹串を使い、ぬりのばします。

ボンドをぬり、竹串で伸ばすと、早くかわいてきれいに仕上がるよ！

❸ ボンドがつきました。

❹ 前をのせて、はり合わせます。

❺ ボンドがかわくまで待ちます。（アイロンを使う場合は、P9 参照）

4 綿を入れ、あき口をとじます。

❶ 綿を小さくちぎります。

❷ 割り箸を使い、少しずつ綿を奥に入れます。

あき口から遠い 足→お腹→手→胸→頭の順で、綿をつめていきましょう！少しずつがポイントです。

❸ 厚みが1〜1.5cmくらいになるように、綿をつめます。

❹ 竹串であき口にボンドをぬります。

❺ はり合わせ、ボンドがかわくまで待ちます。

5 髪の毛を切り、はります。

❶ 髪の毛の型紙をつくり、おおまかにまわりを切ります。

❷ フェルトにセロハンテープで型紙をはります。

❸ 型紙の線の上をセロハンテープごと切ります。

❹ 前も後ろも切れました。

❺ 髪の前の裏に、竹串を使ってボンドをぬり広げます。（斜線部分）

❻ 人形の前にはります。

❼ 髪の後ろの裏に、ボンドをぬります。（斜線部分）

❽ 人形の後ろにはります。

いろんな場所へ連れて行ってあげましょう！

ボールチェーンをつけて、
いつものリュックや
カバンにつけて
持ち歩いてもいいですね！

好きなスポットで写真を撮ってみましょう！

どこにでも……
連れて行って
あげたくなりますね！

かいてつくる お絵かき推しぬい バリエーション

洋服から、髪の毛にまでこだわって、
「推し」のイメージに近づけよう!

ポロシャツや、
スカートをかいても!

好きな顔を
かきましょう！

後ろ姿にも
ポイントを！

実物大の型紙
ボディ P.17　その他 P.32-35

かいてつくる きせかえ推(お)しぬい

人形(にんぎょう)ときせかえができるTシャツをつくりましょう！
Tシャツもゼッケン布(ぬの)を使(つか)うとかんたん！
「推(お)し」に似合(にあ)う柄(がら)をかきましょう！

コスプレぬい
服(ふく)をきせかえて
遊(あそ)びましょう！

洋服(ようふく)・顔(かお)の参考(さんこう) **P.36-37**

さあ、つくりましょう！

❤ 材料と用具をそろえましょう。

材料

ゼッケン布
フェルト 黄：適量
手芸用綿：適量

用具

- ● 切るもの
  はさみ
- ● はるもの
  手芸用ボンド
  セロハンテープ
- ● かくもの
  鉛筆　色鉛筆
  油性ペン
- ● 使うときれいにできるもの
  竹串　割り箸

実物大の型紙

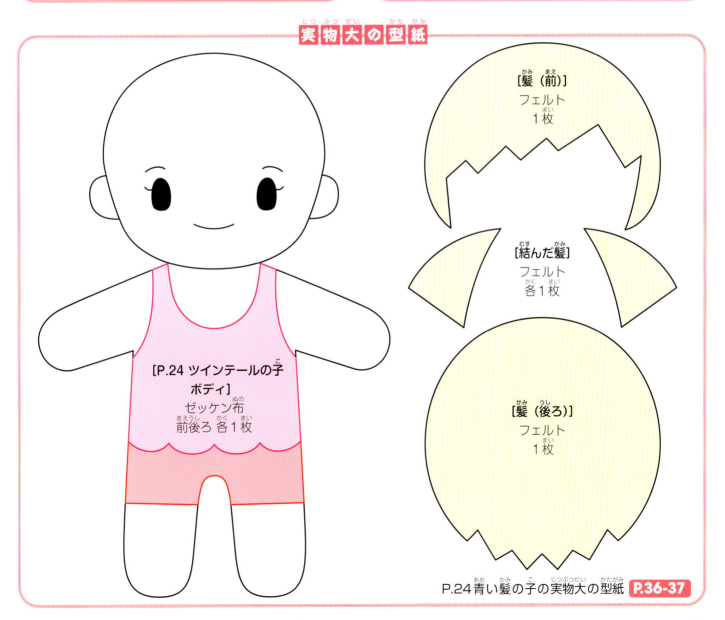

[髪（前）]
フェルト
1枚

[結んだ髪]
フェルト
各1枚

[髪（後ろ）]
フェルト
1枚

[P.24 ツインテールの子 ボディ]
ゼッケン布
前後ろ 各1枚

P.24 青い髪の子の実物大の型紙　P.36-37

1 ボディをつくります。

① 型紙をつくります。(P.7参照)

② 型紙の上にゼッケン布を置き、セロハンテープではります。

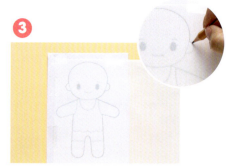
③ 鉛筆で人形のまわりを写します。

④ 油性ペンや色鉛筆で顔や洋服をかきます。

⑤ はさみで鉛筆の線の内側を切ります。

⑥ 前と同じように後ろもつくります。

⑦ あき口(綿を入れるところ)を残し、後ろの外側0.5cmくらいにボンドをつけます。

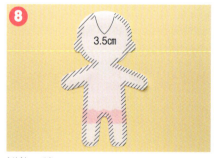
⑧ 竹串を使いぬりのばし、ボンドがつきました。(斜線部分)

⑨ 前をのせて、はり合わせます。

⑩ ボンドがかわくまで待ちます。(アイロンを使う場合は、P.9参照)

⑪ 綿を小さくちぎります。

⑫ 割り箸を使い、少しずつ綿を奥に入れます。

厚みが1cmくらいになるように、綿をつめます。

竹串であき口にボンドをぬります。

はり合わせ、ボンドがかわくまで待ちます。

2 髪の毛をつくります。

❶ 型紙の通りに、髪の毛を切ります。（P.20の❶〜❹参照）

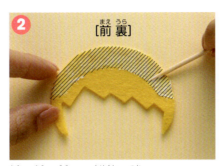
❷ ［前 裏］髪の前の裏に、竹串を使ってボンドをぬり広げます。（斜線部分）

❸ 人形の前にはります。

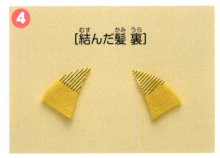
❹ ［結んだ髪 裏］結んだ髪の裏に、竹串を使ってボンドをぬり広げます。（斜線部分）

推しぬいができました！

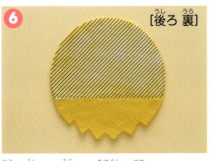
❻ ［後ろ 裏］髪の後ろの裏に、竹串を使ってボンドをぬり広げます。（斜線部分）

❺ 人形の後ろに結んだ髪をはります。

❼ 人形の後ろにはります。

3 Tシャツをつくります。

実物大の型紙

Tシャツの柄は好きにかいてね！

[Tシャツ]
ゼッケン布
1枚

①型紙をつくります。（P7参照）

②型紙の上にゼッケン布を置き、セロハンテープではります。

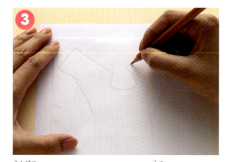

③鉛筆でTシャツのまわりを写します。

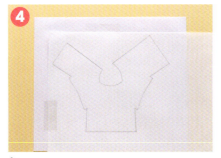

④写しました。

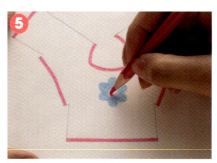

⑤色鉛筆でTシャツの柄をかきます。

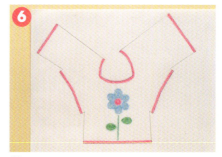

⑥柄がかけました。

はさみで鉛筆の線の内側を切ります。

切れました。

裏返して、★の線とTシャツの下の線を合わせてたたみ、折り目をつけます。反対側にも折り目をつけます。

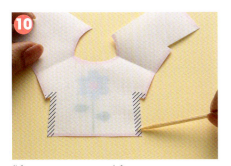
開いて、Tシャツの脇0.5cmくらいに、竹串を使ってボンドをぬり広げます。（斜線部分）

左側からはります。

右側もはります。

Tシャツができました！

推しぬいの前から着せてね！

かいてつくる きせかえ推しぬい
バリエーション

推しぬいも洋服も
「推し」に合わせてつくれます。
たくさんつくって遊びましょう！

後ろも工夫しましょう！

ファッションデザイナーになって
「推し」に似合う服をたくさんつくって、
きせかえ遊びをしましょう！

実物大の型紙
[ボディ] ピンクの髪の子 P.25
緑色の髪の子 P.36
Tシャツ P.28　その他 P.36-39

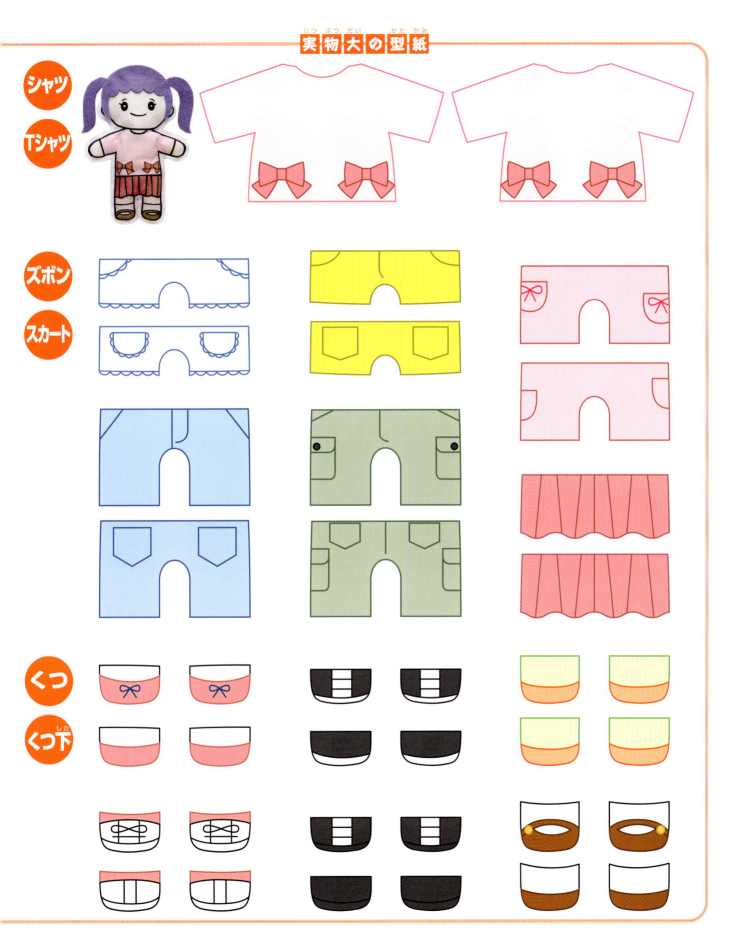

かいてつくる きせかえ推しぬい

洋服

サロペットをつくりましょう！

1
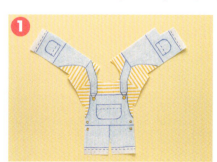
ゼッケン布に型紙の通りにかいて、はさみで切ります。（P.28,29の❶〜❽参照）

2

折り目をつけ（P.29の❾参照）、脇と股のところに竹串を使ってボンドをぬり広げます。（斜線部分）

3

左側からはります。反対側も同様にはりましょう。

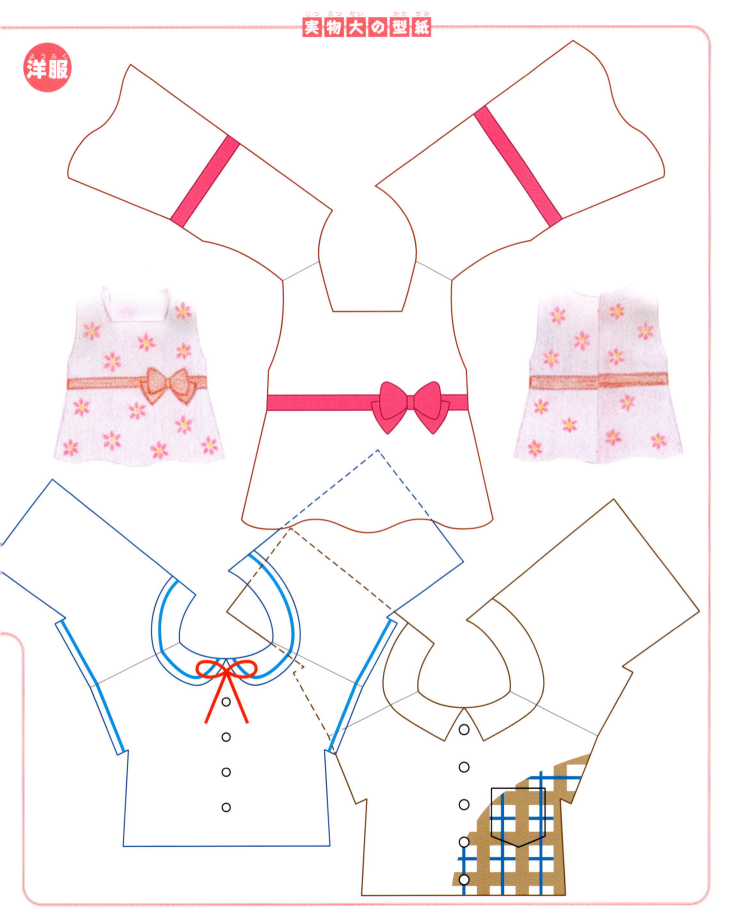

作 **寺西 恵里子**（てらにし えりこ）

(株)サンリオに勤務し、子ども向け商品の企画・デザインを担当。退社後も"HAPPINESS FOR KIDS"をテーマに、手芸、料理、工作、子ども服、雑貨、おもちゃ等の、商品としての企画・デザインを手がけると同時に、手作りとして誰もが作れるように伝えることを創作活動として本で発表する。実用書・女性誌・子ども雑誌・テレビと多方面に活躍中。

『ひとりでできる アイデアいっぱい 貯金箱工作(全3巻)』(汐文社)
『身近なもので作る ハンドメイドレク』(朝日新聞出版)
『基本がいちばんよくわかる 刺しゅうのれんしゅう帳』(主婦の友社)
『0～5歳児 発表会コスチューム155』(ひかりのくに)
『かぎ針で編む キュートななりきり帽子＆小物』(日東書院本社)
『もっと遊ぼう！ フェルトおままごと』(ブティック社)
『30分でできる！ かわいいうで編み＆ゆび編み』(PHP研究所)
『3歳からのお手伝い』(河出書房新社)
『作りたい 使いたい エコクラフトのかごと小物』(西東社)
『365日 子どもが夢中になるあそび』(祥伝社)
他、著書は700冊を超える。

撮影	奥谷 仁　渡邊 峻生
デザイン	NEXUS DESIGN
カバーデザイン	池田 香奈子
イラスト	高木 あつこ
作品制作	池田 直子　岩瀬 映瑠
作り方まとめ	岩瀬 映瑠
校閲	大島 ちとせ

かいた絵をはるだけ！
はじめての推しぬい

発行日	2024年9月　初版第1刷発行
作	寺西 恵里子
発行者	三谷 光
発行所	株式会社　汐文社
	〒102-0071 東京都千代田区富士見1-6-1
	富士見ビル1F
	TEL 03-6862-5200　FAX 03-6862-5202
	http://www.choubunsha.com/
印刷	新星社西川印刷株式会社
製本	東京美術紙工協業組合

乱丁・落丁本はお取替えいたします。
ご意見・ご感想は　read@choubunsha.comまでお送りください。

©ERIKO TERANISHI 2024　Printed in Japan
ISBN978-4-8113-3171-3